Straßen, Bauten, Türme, Märkte und Bräuche, über Wohnungen, Gärten, Berufe, Feste, Museen und natürlich über Leute. Was wäre schon eine Stadt ohne die Menschen, die in ihr wohnen?

Deshalb stellen wir dir auf dieser Seite ein paar von ihnen vor, freilich nur sehr wenige, denn München hat über eine Million Einwohner.

Und nun komm, unsere Stadtgeschichte fängt an.

Berühmte Städte
Band 8:
München

Alle Rechte vorbehalten.
Nachdruck, auch auszugsweise, nicht gestattet.
© Bibliographisches Institut AG, Mannheim 1979
für das deutsche Sprachgebiet, alle anderen Rechte
ICI (International Copyright Institute) Luxemburg.
Satz: Typo-Art Dieter Spreng, Heidelberg (LFE-Europa)
Druck und Einband: Druckerei Kaufmann, Lahr.
Printed in Germany
ISBN 3-411-01776-7

CIP-Kurztitelaufnahme der Deutschen Bibliothek

Joos, Louis:
München: e. Stadtgeschichte für Kinder /
mit Bildern von Louis Joos. Ausgew. u. erzählt
von Ulrike u. Martin Raether. – Mannheim, Wien,
Zürich: Bibliographisches Institut, 1979.
  (Berühmte Städte; Bd. 8)
  ISBN 3-411-01776-7

**Wir danken Herrn Dr. Joseph Schrittenloher
vom Münchner Stadtarchiv für seine beratende
Mitarbeit.**

Berühmte Städte

München

Eine Stadtgeschichte für Kinder,
ausgewählt und erzählt von Ulrike und Martin Raether
mit Bildern von Louis Joos

Bibliographisches Institut Mannheim/Wien/Zürich
Meyers Jugendbuchverlag

Straßen

Salz ist zwar billig, aber sehr wichtig, denn ohne Salz schmeckt auch die beste Suppe nicht. Früher war deshalb das Salz eine kostbare Handelsware, und die Straßen, auf denen es transportiert wurde, hießen Salzstraßen. In Städten und an Brücken mußten die Kaufleute viel Zoll dafür bezahlen.

Hier wird erzählt, wie Heinrich der Löwe vor 800 Jahren München gegründet hat. Was er tat, war nicht fromm, aber klug.

Im Mittelalter führte eine solche Handelsstraße von Salzburg nach Augsburg. Den reißenden Isarfluß überquerte sie auf einer Holzbrücke, die dem Bischof von Freising gehörte. Schon wenige Kilometer flußaufwärts gehörte das Land wieder einem anderen Herrn, Heinrich dem Löwen, und der hätte schrecklich gerne den Brückenzoll für sich gehabt. Was macht er? Er befiehlt seinen Leuten, die Brücke des Bischofs zu zerstören, die Salzstraße auf sein Gebiet umzuleiten und hier eine neue Brücke zu bauen. Und so geschah es. Natürlich hat sich der Bischof beim Kaiser beschwert. Auch hat er, wie man heute sagen würde, Schadensersatz erhalten; aber die neue Brücke durfte stehen bleiben, und Heinrich der Löwe kassierte von da an die Zollgebühren.

An der neuen Salzstraße, neben dem Kloster, das es dort schon lange auf einem hochwassersicheren Hügel gab, entstand schnell ein Dorf. Man nannte es „bei den Mönchen"; Münchens Name wurde daraus. Die kleine Siedlung wuchs zu einem Städtchen, dann zu einer Stadt, und diese wurde im Laufe der Jahrhunderte eine Großstadt, eine Millionenstadt, eine Weltstadt. Die Salzstraße aber gibt es heute noch, nach über 800 Jahren! Sie hat inzwischen andere Namen. Die Straße, die vom Isartor über den Marienplatz bis zum Karlstor führt, mit ihren vielen Geschäften und Gasthäusern, ist immer noch die belebteste Straße Münchens. Dort in der Fußgängerzone kannst du alle Sprachen der Welt hören, so daß du meinen könntest, in der Hauptstadt der Welt zu sein.

Wo früher die schweren Salzwagen über das Pflaster ratterten, und später die schnellen Autos und Straßenbahnen fuhren, sitzen jetzt in der Fußgängerzone die Leute gemütlich beisammen.

Zwei mächtige Mauerringe schützten die mittelalterliche Stadt gegen heranrückende Feinde.

Bauten

Das war ein Verkehrsgetümmel in München, schon im Mittelalter! Mitten in der Stadt, auf dem Marktplatz, kreuzte die Salzstraße eine andere große Handelsstraße, die von Venedig nach Nürnberg führte. Täglich rumpelten an die 30 schwere Kaufmannswagen in die Stadt hinein, die meisten mit Salz beladen, andere mit Stoffen aus Flandern und Gewürzen aus dem Orient, wieder andere vollgepackt mit Eisen, Holz und Leder, Getreide oder Wein. Jeden Tag drängten sich mehr als 70 Bauernfuhrwerke durch die engen Gassen. Dazwischen fuhren langsam unzählige Karren mit Ziegeln, Sand, Steinen, Bauholz – denn in München wurde viel gebaut: die Mönche bauten Klöster, die Kaufleute Lagerhallen, die Wirte Gasthäuser, die Handwerker Werkstätten, die Bürger ein Rathaus, und der Herzog ließ sich eine Burg bauen. Alle zusammen aber halfen bei dem wichtigsten Bauwerk Münchens: der Stadtbefestigung. Gräben wurden ausgehoben und Wasser hineingeleitet, dicke Mauern wurden hochgezogen, Wehr-,

8

Wach- und Tortürme gebaut, bis die Stadt wie eine Burg aussah. „Bürger" nannten sich jetzt stolz die Einwohner. Vor Feinden geschützt, konnten sie unbehindert Handel treiben; sie hatten ihre eigenen Gesetze und Richter.

Die Stadtbefestigungen, von den Bürgern in jahrzehntelanger Arbeit errichtet, gibt es nicht mehr. München muß nicht mehr durch dicke Mauern gegen Feinde geschützt werden.
Heute haben die größten Bauunternehmungen andere Zwecke: die meisten dienen dem Verkehr, viele dem Sport. Vor kurzem noch war Münchens Olympiapark die größte Baustelle Europas.

Zum Schutz der Besucher der Olympischen Spiele 1972 wurde das größte Dach der Welt gebaut.

9

Wie ein Schiff ragt die Frauenkirche aus dem Häusermeer. Ihre zwei Türme sind das Wahrzeichen von München; heute wie früher schauen sie auf das Treiben am Marienplatz.

Kirchtürme, Gefängnistürme, Aussichtstürme, Rathaustürme, Tortürme, Wehrtürme, Wassertürme. Es gibt so viele Arten von Türmen. Die gefährlichsten sind die Pulvertürme…

Türme

Sie stoßen hoch in den Himmel, schon aus der Ferne sieht man sie, und steigt man hinauf, sieht man weit ins Land. Türme sind der Stolz einer Stadt, und sie sind nützlich.

Der Turmwächter erspähte als erster feindliche Truppen und konnte die Bürger warnen, wenn ein Feuer ausgebrochen war. Das Läuten der Turmglocken war weithin zu hören. Sie riefen zum Gottesdienst, zum Feuerlöschen, zur Verteidigung, zum Trauern und zum Feiern, und sie verkündeten die Zeit. Heute hat jeder seine eigene Armbanduhr, früher hatten nur die Türme Uhren. In München erhielt der Petersturm die erste Uhr. Das war im Jahre 1371. Jetzt hat er acht Uhren. Das ist sehr praktisch, denn so können acht Leute auf

Der Olympiaturm ist 290 Meter hoch. In 182 Meter Höhe ist ein Restaurant, das sich langsam dreht.

einmal die Uhrzeit ablesen! Der neueste Turm von München ist auch der höchste. Er sieht anders aus als die Kirchtürme. Dient er auch einem anderen Zweck?

Das Glockenspiel am Rathausturm zeigt mit seinen bunten Figuren den Schäfflertanz und ein Ritterturnier, das vor vielen Jahrhunderten auf dem Marktplatz stattgefunden hat.

Märkte

Es gab sie in jeder Stadt, die Märkte für Getreide, Rinder, Pferde, Heu, Kräuter, Vögel, Blumen. Auch in München gab es sie, und gibt es sie noch heute. In der Geschichte der Stadt sind sie von Anfang an sehr wichtig. Doch von Märkten zu erzählen, ist langweilig. Besser, man geht hin und erlebt selbst den lärmenden Trubel und das Treiben der Leute.

München hat noch etwas Besonderes: die Dult. Das ist ein Jahrmarkt, auf dem es alles, alles, alles, was du dir nur vorstellen kannst, zu sehen und zu kaufen gibt: Vasen, Uhren und zerbeulte Töpfe – Bücher, Bilder sonderbarer Köpfe; Spielzeug, Schmuck und abgeschnitt'ne Zöpfe – Tassen, Hosen, selbst bemalte Knöpfe.

Jedes Jahr im Juli wird seit fast 700 Jahren am Fest des heiligen Jakob die Jakobidult abgehalten. Anfangs stellten nur Kaufleute ihre wertvolle Ware aus, Pelze, Tuch und Leder; dann kamen mehr und mehr Krimskramskrämer, und schließlich wurde die Dult ein richtiges Volksfest mit Kasperltheater, Flohzirkus, Karussell, Feuerschluckern und Volkssängern. Sie war so bekannt, daß zu einer Zeit, als München erst 10000 Einwohner zählte, täglich über 50000 Besucher kamen.

Während der Jakobi-Dult wurde schon vor 600 Jahren ein lustiges Wettreiten veranstaltet. Der Sieger erhielt zur Belohnung ein scharlachrotes Tuch, der letzte ein Schwein. Dieser „Rennsau" hängte man eine Glocke um den Hals, und dann durfte sie bis zum Rennen im nächsten Jahr frei in den Straßen der Stadt herumlaufen und sich an den Abfällen dick und rund fressen.

Münchner Märkte: Dult und Viktualienmarkt.

Heute gibt es in München dreimal im Jahr die Auer Dult, vor Weihnachten den Christkindlmarkt, täglich den Markt mit dem eigentümlichen Namen Viktualienmarkt und – ähnlich wie früher die Dulten – große Industrieausstellungen und Handwerksmessen.

Die Metzgerlehrlinge hatten einen besonderen Spaß: am Faschingsmontag zogen sie sich Felle an und sprangen in den Fischbrunnen, warfen Nüsse und Äpfel heraus und spritzten die Zuschauer naß.

Bräuche

Es war einmal ein Drache, der hauste in einem Brunnenloch der Weinstraße. Mit seinem giftigen Feueratem verpestete er die Luft. Viele Münchner mußten sterben, ehe das Drachentier endlich getötet wurde. Vor Freude tanzten die Schäffler durch die Straßen. Daß dies nicht wahr sein kann, hast du gleich gemerkt, denn alle Sagen fangen an mit „Es war einmal…". Richtig aber ist, daß früher Tausende von Stadtbürgern an der Pest starben. In den Gassen drängten sich Karren, Packtiere, Pilger und Bettler zwischen Marktkörben und Handwerkern. Hunde und Schweine wühlten im Abfall. Der Schmutz war also an den Seuchen schuld.

Alle sieben Jahre ist Schäfflertanz. Er erinnert an schlimme Zeiten: Im Winter 1635 starben 15 000 der 20 000 Münchner Einwohner an der Pest.

Richtig ist aber auch, daß einmal nach einer großen Pest, die Schäffler oder Faßmacher sich als erste wieder auf die Straße wagten und die Münchner durch Tänze, Musik und Späße aufmunterten.

Auch die anderen Handwerker, Gewerbe und Zünfte hatten früher ihre Bräuche, ihre Feste, ihre bunten Trachten und lustigen Lieder. Bis heute ist leider nur noch der Schäfflertanz erhalten, und der findet nur alle sieben Jahre statt.

„Fingerhakeln" ist ein Sport für kräftige Männer. Wer den anderen mit einem Finger über den Tisch zieht, hat gewonnen.

Münchens Mittelpunkt war immer der Marienplatz. Dort fanden Ritterturniere statt, Märkte aller Art, Aufstände und Hinrichtungen. Dort standen Schandesel und Pranger. Man ging zu Schäffler- und Faschingstänzen, Sonnwendfeuer und Metzgersprung. Könige, Kaiser und Kosmonauten wurden hier

umjubelt. Und noch heute ziehen
jedes Jahr feierliche Prozessionen
vorüber. Der Marienplatz ist der
„Festsaal" der Stadt. Zu jeder
Tageszeit gibt es hier viel zu sehen.

Ansicht des kurfürstlich-bayerischen Lustschlosses Nymphenburg vom Park aus.

Türkische Kriegsgefangene als Sänftenträger.

Wohnungen

Wie die Bürger, so wohnten auch die bayerischen Herrscher gerne in München. Im Laufe der Jahrhunderte erweiterten sie ihre alte herzogliche Burg zu einer kurfürstlichen Residenz und zum Königsschloß, das bis heute die größte Gebäudeanlage von

München ist. Doch es gab eine Zeit, da war dem Fürsten dieses Schloß noch zu wenig. In der Umgebung der Stadt ließ er sich einige Sommerschlösser bauen. Vielleicht kannst du dir vorstellen, wie der bayerische Kurfürst im 18. Jahrhundert gewohnt hat, wenn du das Schloß Nymphenburg besichtigst. Da gibt es viele Vorzimmer, Empfangs-, Tanz-

Konzert, Jagd, Tanz und Theater. Von einer Gondel aus sah er sich Feuerwerke an. Feste dauerten oft mehrere Tage. Das alles war sehr teuer. Die verschwenderische Lebensart des Herrschers kostete die Hälfte des Geldes, das alle seine Untertanen zusammen verdienten. Ein Münchner Handwerker verdiente damals 10 Gulden im Monat. Ein einziger Opernabend

Für die Olympischen Spiele 1972 errichtete man innerhalb von drei Jahren diese modernen Bauten. Sie dienten den Sportlern aus aller Welt als Unterkünfte. Heute ist diese Wohnsiedlung fast eine Stadt für sich, in der 10 000 Menschen leben.

und Festsäle, einen Chinesischen Salon und einen Spiegelsaal, Musik-, Schlaf-, Jagdzimmer, und das alles mit viel Gold reich verziert. Draußen im Park führen alle Wege und Kanäle schnurgerade auf das Hauptschloß zu, wo der Fürst selbst wohnte, umgeben von seinem Gefolge. Hierhin fuhr er zu

am Fürstenhof kostete dagegen 100 000 Gulden.

Wie gründlich haben sich die Zeiten seitdem geändert! Damals wurden für einen einzigen Menschen mehrere Schlösser gebaut, heute baut man ganze Wohnstädte für viele tausend Menschen.

Gärten

In welcher anderen Stadt haben die Kinder einen größeren und schöneren Spielplatz als in München? Mitten in der Stadt beginnt er und dehnt sich fünf Kilometer weit nach Norden: der Englische Garten.
Dort darfst du Fahrrad fahren, Drachen steigen lassen oder Kastanien sammeln. In den schnellen Bächen mit ihren Wasserfällen und Inseln kannst du Schiffchen aussetzen. Im Sommer macht es Spaß mit der Pferdekutsche zu fahren, auf dem See zu rudern oder Enten, Schwäne und Gänse zu füttern; im Winter kann man beim Eisstockschießen

① *Der Chinesische Turm im Englischen Garten.*

② *Vom „Monopteros" hat man den schönsten Blick auf die Münchner Stadttürme.*

zuschauen, Schlittschuh laufen oder rodeln. Für die kleineren Kinder gibt es ein Karussell mit Kutschen, Schwänen und Giraffen, das so alt ist, daß schon die Großeltern, als sie noch klein waren, darauf gefahren sind. Daß München eine internationale Stadt ist, erkennt man auch daran, daß im Englischen Garten ein Japanisches Teehaus, ein Griechischer Rundtempel und ein Chinesischer Turm stehen. Weißt du übrigens, warum dieser Garten der „Englische" genannt wird? Im Hofgarten und im Nymphenburger Schloßpark sind die Hecken, Terrassen, Wasserkanäle und Alleen wie mit Lineal und Zirkel gezogen. Im 19. Jahrhundert dagegen wurden Parks angelegt, die wie die wild gewachsene Natur aussahen. So liebten es die Engländer.

Im Tierpark Hellabrunn gibt es außer diesem Tiger noch über 4000 andere Tiere. Hast du schon einmal gesehen, wie die Seehunde gefüttert werden oder wie ein Schimpansenbaby die Flasche bekommt?

Kahnpartie auf dem Kleinhesseloher Se

Natürlich gibt es in München
noch viele andere Parks und
Grünanlagen, zum Beispiel den
Olympiapark, die kilometerlangen
Isarufer und vor allem den
schönsten und größten Zoo
Europas, den Tierpark Hellabrunn.
Wer sich in München langweilt, ist
wirklich selber schuld.

Die Arbeit der Flößer war hart. Ihre Flöße bestanden aus 15 bis 20 Baumstämmen, die Steine, Kohlen, Bierfässer und auch Personen die reißende Isar hinuntertrugen. Im Münchner Wirtshaus „Zum grünen Baum" gab es dann eine ordentliche Stärkung. Heute machen die Münchner eine Isar-Floßfahrt nur noch zum Vergnügen.

Siebzehn Jahre haben die Künstler, Erzgießer und Arbeiter zum Bau der „Bavaria" gebraucht. Am 9. Oktober 1850 wurde das Denkmal feierlich enthüllt. Die Bavaria ist bis heute die größte Bronzestatue der Welt. In den Kopf kann man sogar hinaufsteigen, um den weiten Blick über die Stadt zu genießen.

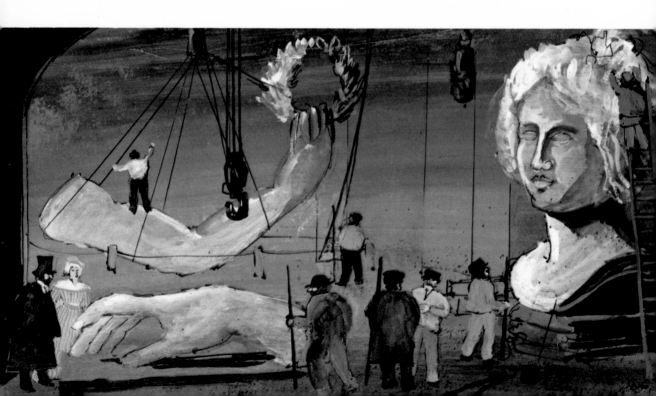

Berufe

Im Laufe der 800jährigen Stadtgeschichte hat es viele Arten von Berufen gegeben, mit denen sich die Münchner ihr Geld zum Leben verdient haben. Manche von den ganz alten Berufen gibt es heute noch, so die Gastwirte und Köche, Schuhmacher, Mönche, Marktfrauen und Dichter, Bäcker, Bierkellner, Bauleute, Brauer und Bürgermeister. Andere Berufe haben sich mittlerweile gewandelt: aus Schmieden und Wagnern sind Automechaniker geworden, aus den Fuhrleuten Lastwagen- und Taxifahrer, aus dem Herzog ein Ministerpräsident, aus dem Oberaufseher der ersten Stadtmauer ein Bauingenieur. Wieder andere Berufe von früher kennt man nicht mehr. Wer bestellt denn heute noch eine Ritterrüstung? Auch für die Salzstößler, Seifensieder, Säckler und Färber, die Henker, Laternenanzünder, Turmwächter und Flößer gibt es keine Arbeit mehr. Andererseits entstehen immer mehr neue Berufe, die man früher nicht kannte. Jetzt werden in München Lokomotiven, Motorräder, Autos und Flugzeuge gebaut, Fernsehgeräte, Brillen, Kameras und Computer hergestellt. So erleben wir in den Berufen ein Stückchen Münchner Stadtgeschichte mit.

Der weiß-blau bemalte Maibaum auf dem Viktualienmarkt zeigt einige der typischen Berufe Münchens.

Gibt es diese Berufe noch: Fiakerkutscher und Trambahnschienenritzenreinigerin?

23

Der stärkste Wiesenwirt war der Steyrer Hans. Er konnte einen 528 Pfund schweren Stein mit einem Finger hochheben. Einmal hat er einen wild gewordenen Stier so herumgeworfen, und das mit einer Hand, daß sich der Stier lammfromm abführen ließ.

Den Rettich zum Bier verkaufen die „Radiweiberl".

Bei besonderen Gelegenheiten sieht man auch in der bayerischen Hauptstadt den „Schuhplattler", einen Tanz, der in prächtigen bayerischen Trachten vorgeführt wird.

Feste

In München wird nicht nur ordentlich gearbeitet, sondern auch viel gefeiert. Das ganze Jahr ist etwas los. Feiertage, Dulten, Starkbierzeit und Bockbierfeste.

Fronleichnamsprozession und so weiter. Manche sagen gar, daß es in München nicht vier, sondern fünf Jahreszeiten gibt: Frühling, Sommer, Herbst, Winter und – den Fasching! Das größte, fröhlichste und schönste Fest aber ist das Oktoberfest, auf das sich die Münchner das ganze Jahr so unbändig freuen, daß sie schon im September damit anfangen. Aber sie nennen es ja auch nicht „Oktoberfest", sie gehen ganz einfach auf „d'Wiesn". Aus aller Welt reisen Besucher nach München, um diese Gaudi mitzuerleben. Hier kann nicht alles über dieses Volksfest erzählt werden, von den Riesenrädern, Geisterbahnen, Karussells, Schaubuden, Achterbahnen und von den vielen Bierzelten. Was es da alles für gute Sachen zu essen gibt: gebrannte Mandeln, türkischen Honig, Brathendl, Haxn, Steckerlfisch und, was eine zünftige Münchner „Brotzeit" ausmacht: neben der Maß Bier einen Radi, Weißwürscht mit süßem Senf und Brezen. Was aber wäre das alles ohne die Münchner Gemütlichkeit?

„Auf geht's!" So heißt es Ende September, we die Münchner „auf d'Wiesn" gehen.

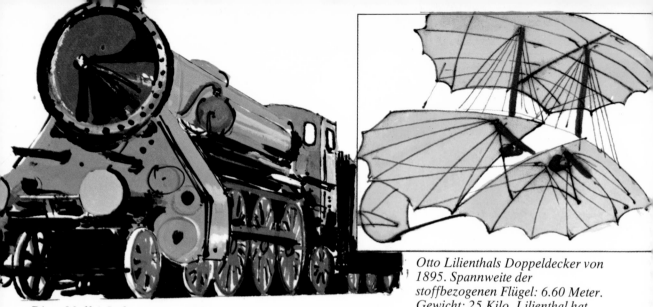

Diese Maffei-Lokomotive wurde 1912 in München gebaut. 42 Jahre lang hat sie ihren Dienst getan und dabei 2,5 Millionen Kilometer zurückgelegt.

Otto Lilienthals Doppeldecker von 1895. Spannweite der stoffbezogenen Flügel: 6.60 Meter. Gewicht: 25 Kilo. Lilienthal hat über 2000 Flugversuche unternommen, bis er am 9. August 1896 tödlich abstürzte.

Museen

Meistens sind Museen ziemlich langweilig, nicht aber in München. Für alles gibt es ein Museum, für Saurier, Musikinstrumente, Puppenspiele, Bier, Spielzeug, Gemälde, Porzellan, Münzen, Jagd, Briefmarken, Filme, Rennautos, Motorräder und Nähmaschinen. Es fehlt eigentlich nur noch eines für Museen! In keiner anderen deutschen Stadt gibt es mehr Museen als in München. Das lustigste ist das „Valentin-Musäum" und das aufregendste das „Deutsche Museum". Ein paar von den vielen Originalen und Modellen, die es in diesem größten technischen Museum der Welt zu sehen gibt, zeigen diese beiden Seiten.

20 Meter tief konnte dieses 9 Meter lange Einmann-Unterseeboot »Biber« aus dem Jahre 1944 tauchen. Jetzt steht es vor dem Deutschen Museum.